À ma Manouninette
Qui vole de ses ailes.

Papou

Loi 49.956 du 16.07.1949 sur les publications
destinées à la jeunesse.

Dépôt légal : 2e trimestre 2008
ISBN : 978-2-7459-3187-0
Imprimé en Italie

Gérard Moncomble

Nadine Rouvière

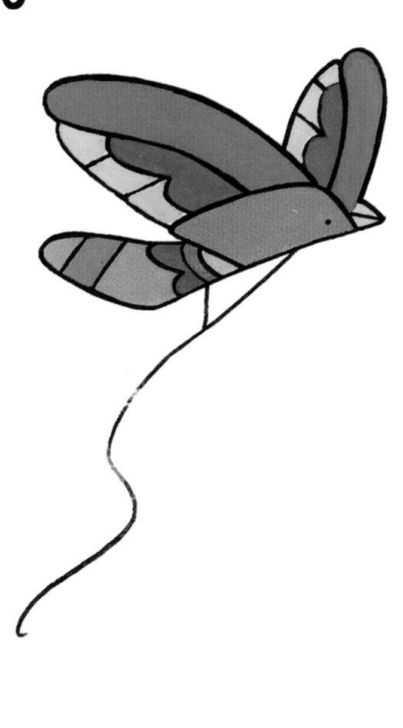

MILAN
jeunesse

Quand le vent d'automne souffle et tourbillonne,
Manon regarde danser les feuilles, pareilles
à des papillons. Elle aimerait tant voler comme elles !
Hélas, Manon n'a pas d'ailes. Tout juste un cerf-volant.
Zut ! À peine est-il en l'air qu'une rafale l'emporte !

Le vent est un coquin. Mais comment lui en vouloir ?
Manon et ses amis fabriquent un nouveau cerf-volant.
Plus beau, plus grand, plus solide.

Il a des ailes d'oiseau. Il ira haut dans le ciel.
Cette fois, pas question de le perdre !
Manon attache la cordelette à sa taille.

Le jeu recommence. Le cerf-volant cabriole, tournicote.
Et il monte, monte, monte. Le vent l'adore !
Le vent l'emmène loin, l'emmène haut !
Si haut que Manon doit résister de toutes ses forces.
Ses pieds touchent à peine le sol. Et elle s'envole !

Au bout du cerf-volant, Manon monte, Manon descend.
Soudain elle plonge vers l'étang. Plouf, plouf, plouf !
Comme un galet qu'on lance, elle fait des ricochets
et des éclaboussures. Pas de culbute dans l'eau. Ouf !

La forêt sombre ! Manon frissonne à l'idée d'y tomber.
Mais les sapins sont si hauts que Manon s'y accroche.
La voilà suspendue entre ciel et terre. Drôle de nid !
– Hou-hou ! Tu viens d'où ? Tu vas où ? s'étonne le hibou.
Trop tard pour répondre ! Un coup de vent furieux
arrache Manon à sa branche.
Le voyage dans les airs continue.

Par bonheur, le ciel est de bonne compagnie.
Il y a ces canards qui la suivent en cancanant.
Il y a la douce caresse des nuages.
Il y a le soleil chaud qui roule
tout là-haut.

Mais Manon habite sur terre. Manon n'est pas un oiseau.
Le vent poursuit pourtant sa course folle, entraîne
le cerf-volant vers la montagne !

Voilà les pics, les crêtes !
Où caracole le chamois,
où trotte la marmotte.

Soudain l'aigle surgit !
Attention, Manon !

Mais c'est pour lui prêter ses ailes et la ramener à terre !
Il est temps ! Le ciel est trop grand, trop haut pour elle.
Manon sait que ses amis d'en bas l'attendent impatiemment.
Le cœur serré, elle défait le nœud de la cordelette.

L'aigle dépose Manon dans la vallée.
Les animaux l'entourent, l'embrassent, la fêtent.
Leur Manon revenue du ciel ! Ils ont eu si peur de la perdre.
Et Manon est heureuse d'être parmi eux.
Comme est heureux son cerf-volant devenu un oiseau.